KB096325

언어의 응집

ModernBooks

언어의 응집

발　행 | 2024년 06월 30일
저　자 | 김예원, 이엘, 정희진, 조영은, 희주
펴낸이 | 박강산
펴낸곳 | 모던북스
출판사등록 | 2022.10.27.(제2022-144호)
주　소 | 서울특별시 동작구 현충로 220
이메일 | modernbooks_official@naver.com

ISBN | 979-11-93445-18-1

https://modernbooks.co.kr

언어의 응집

김예원 이엘 정희진 조영은 희주 지음

ModernBooks

들어가며

이 시집에는 모던북스의 <작가가 되는 시간>을 통해 발굴한 다섯 명의 시인들의 작품이 실려 있습니다. 김예원 시인은 일상에 가려져 보이지 않는 삶의 비밀을 시의 문장으로 옮겨 놓습니다. "두근거리는 소리"(식사)를 듣던 "귀"를 가지고 있음을 믿고 있기에 "손을 맞잡"(짝꿍)고 옆에 앉는 다정한 마음을 꺼내 봅니다. 이엘 시인은 시를 통해 가족과 공동체의 의미를 되짚어 봅니다. 어느 순간에는 전우애를 발휘하여 "하나씩 하나씩 살아내야"(등산과 삶의 공통점)하지만 어느 순간 돌아보면 "꽃보다 이쁜 손주"(꽃길)와 함께 걷고 있음에 삶의 경이로움을 발견합니다.

정희진 시인의 시는 유독 노란빛으로 가득합니다. "노란색 꽃"이 바로 "봄이 오는 소리"(나의 3월)이기 때문일까요. 삶은 때때로 설렘과 불확실로 나를 휘젓지만 세상은 "누구나 산책하는"(공원) 곳임을 알고 있기 때문이겠지요. 조영은 시인은 이국적인 풍경 안에 아이와 같은 순수한 마음을 그려냅니다. 다만 너무나 "천진난만"(얼음땡)하여 이 마음은 때로는 찢어지고 때로는 상처를 입네요. 그러나 분명한 아름다움이 "행복하냐"(마드리드)는 질문의 옆을 스쳐 갑니다. 희주 시인은 개인의 정서를 동시대의 문제의식으로 확장해 나가는 시세계를 보여줍니다. "각자의 질병"이 "각자의 몫"(숨2)으로 남지 않도록 투쟁하는 마음이 "뜨겁고 뿌연 고백"(숨3)으로 떠오르고 있습니다.

차 례

김
예
원

스무 살은 인생이 변하는 전환점처럼 보입니다. 하지만 케이크 위에 올라가는 긴 초가 두 개를 넘어도 여전히 무서운게 많고, 모르는 것도 많고, 어디로 가야 할지 몰라 갈팡질팡 헤맵니다. 아직도 어른이 되지 못했다고 자책할지도 모르지만 어른은 결과가 아니라 과정의 이름입니다.

어린 것들에게 딱 한 걸음 앞에서 손을 내밀 수 있다면 어른이고, 한 걸음을 더 걸어가려고 발을 든다면 어른이며, 과정의 이름이 어른이라면 도착지를 향해 나아가는 어른은 모두 아이입니다. 어른 스러움은 미숙함만이 담보해줍니다. 지금 어른이기 위해서 우리는 그렇게나 서툴렀고 여전히 어설픕니다.

발의 기억

날을 날로 벼리는 재주는 연필깎이와 함께 잊혀졌다
대신 흙먼지가 둥둥 떠다니는 잉크로
걸음이 뭉툭히 날을 남긴다

어제는 사거리를 건너 출퇴근했고
오늘은 사거리를 건너 출퇴근한다
다이어리에 적힌 숫자가 커질 때마다
같은 발자국이 찍혀 눌리는데
또 한 번 걸음이 짙어지면 내일의 뱃속으로 들어간 거겠지
흰 것들은 더러워지라고 그렇게 태어나
살가죽 같은 표지 위에 바코드를 붙이지만
잉크가 발목 위로 차오른 사람들은 하루를 대출하는 법을 잊어버
렸다

희지도 검지도 않은 빨간 신을 신고
바코드를 가로지른다
앞뒤가 같아진 검은 종이를 문지르며
발의 하루를 더듬는다

식사

하늘을 날고 싶었다고 말했어요
눈을 떠도 보이지 않는 것 같아서요
또 하루는
하늘을 날고 싶었다고 들었어요
깨지지 못해 썩은 알을 끌어안고요
그러기에 우리는 아직 두근거리는 소리를 들었던 거겠죠

예전에는 나도 들리는 사람이었는데
이제는 귀가 막혔나
어딘가로 몰아치는 사람들의 고동소리를 계속 듣고 싶어서
살은 튀기고 발은 조리고 먹이고 먹이며 불러 모으다
두근거림까지 먹이면(아니 먹으면)
두근거리지 못하게 되는 거였는데

염통꼬치 두 개만 주세요.
사람 많은 거리는 또 왜 그렇게 시끄러운지
잘못 쥐어진 두 세트에 그냥 조용히 소스를 뿌리고
오후 6시, 두근거림 속에서 두근거림 속으로 가는 길
집에는 또 4인 분의 식사가 기다릴 텐데……
나는 또
줄줄이 꿰인 두근거림들을 씹어 먹고…

4000원, 수십의 소리는 어째서 그렇게도 싼가요
그날따라 구름의 울음조차 들리지 않는 하늘을 올려보다
결국 또 내가 알 수 없는 어딘가로 향하는 두근거림들에게
입을 쩍 벌렸습니다(아니 그것들이 벌렸던가요)

.

짝꿍

환한 형광등이 밤을 걷어낸 교실
떠드는 녀석들은 싹둑 자를 거다 엄포를 놓은 농부가 떠나고
작은 열매들은 따로 따로 떨어진 책상들을 붙이며 비밀을 속삭였
었다

물감을 빼앗긴 은행들이 밤이 됐다던가
새벽빛이 스며들 때마다 천둥소리가 세상을 갈라낸다던가
세상에 틈이 생길 때마다 거울에 입을 맞췄지만 희붐한 상이 산
산조각났고
반어법을 배운 우리는 사실 크고 달고 시원한 농부의 입맛이 취
향이 아니라는 그런 비밀들
벌레가 피부 아래를 기어다니니 가슴을 파달라는 부탁을 받았고
부탁에 숨어든 벌레가 손톱 아래로 기어들어왔다는 건 친구도 모
르게 감추었다

너, 눈이 사과가 됐어.
괜찮아.

발소리가 엄습해 황급히 책상을 떼어내면
틀어진 모서리에서 흐르는 수액이 비릿한 향을 풍기며 옆자리의
부재를 알린다

길이 아닌 모든 곳에는 농원의 울타리가 쳐져 있었고
평행으로 심어진 우리는
문 앞에 설 때마다 새끼손가락을 들고 선서를 했다

노란 산 속에서 끄집어내진 우리는
아주 큰 담요의 값을 나눠 내기로 약속합니다
그 안에 함께 웅크리기로 약속합니다
가장 여린 속살 위로 가시를 돋혀 세우고 우리는 하나의 밤송이
가 됩니다
손을 맞잡아 은밀을 삼키고 서로에게 입 맞춰
다시는 어떤 벌레도 우리를 파먹을 수 없습니다

교실에는 밤송이가 자라났다

가방은 자기 자리에 두기

손이 한 마디 길어질수록 책상은 무거워졌어
서랍에 위성처럼 박히던 책들은 모두 잃어버렸고
툭 옆자리에서 들어오던 장난스런 유성우들은
담장을 몰래 넘어오던 분식 냄새랑 함께 흩어졌지만

지구는 달을 끼고 앉았고 화성은 앞자리에 꿍
우린 또 엉덩이로 도장을 꾹
칠판 앞 해님의 자리부터부터 사물함 앞 소행성들에게까지
별을 더듬어 길을 그리는 시간은 길어도
우리는 모두 팽창하는 우주 속으로 뛰어드는 여행자니까

네가 있는 행성에서 빈자리의 의자를 꺼내러
우리는 같은 말을 뱉을 수 있을 거야

안녕.

있지,
네 옆에 앉아도 돼?

미용실에는 마녀가 살아

우리 할매
아깝다고
설거지 퐁퐁도 아끼시더니
거품 목욕을 하셨나봐

준이네 할매
준이랑 놀아준다고
후후 비눗방울 부시더니
바람이 머리로 불었나봐

보글보글
방울방울

알았다
다들 인어공주님이었던 거지?
왕자님이랑은 행복했어?

엄마는
씻지도 말고
나랑 놀아주지도 마
거품 그거 내가 다 터트릴 거야

불성실한 아파트 관리인을 규탄한다

아파트 관리인 김 씨는 주민과의 약속 불이행, 업무 태만 등 업무 태도가 지나치게 불성실하여 이에 우리 입주민들이 소리를 낸다 김씨는 약사가 되어 아픈 입주민을 치료하는 의료 복지를 실천하겠다고 우리 솜발바닥에 도장을 찍으며 약속했다 약사가 싫으면 그냥 그렇다 당당하게 말하지 실망할 게 두려워 홀로 끙끙대어 앓는 소리나 내니 검버섯이 울긋불긋 이염된 낡은 입주민은 아직도 누를 때마다 아이 러브 유를 외친다 특히나 김 씨는 업무 태만이 심각하다 매일같이 아파트 주변 순찰을 나가는 척 아침부터 단지를 벗어나 야간에야 돌아온다 무거운 걸 메고 다니면 키가 크지 않는다고 얘기해온 지난 20년 세월이 무색하게 매일같이 가방에 노트북 책 공책 필기구 충전기 기타 등등을 바리바리 싸고 나가는 태도가 오만방자하기 그지없다 그러다 결국 키가 멈추지 않았는가 말을 듣지 않고 나갈 거라면 하다못해 즐겁게라도 돌아오지 이따금 싫어하던 술냄새를 풍기며 들어오거나 가방만 내던지고 침구에 허물어지는 행동은 우리 입주민에게 자신의 기분을 살펴달라는 항의인 것인가 관리자는 어째서 우리 입주민에게 감정노동을 요구하는가 호흡기에 안 좋게 환기 한 번 제대로 안 하면서 며칠 씩 아파트를 비운 뒤에 데려온 새 입주민은 이곳에는 없는 바다 짠내를 풍긴다 김씨는 우리는 묵어 무거운 답답한 공기나 마시라고 버려두고 여행을 다녀왔다 그렇게 피해보상으로 가져온 것이 하루면 흩어질 바다 대신 눈물로 지긋지긋하게 맡아온 짠내인가 창문을 열고 환기를 해라 새

바람을 갖고 새 숨을 쉬어라

　우리 입주민 일동은 요구한다
　언제고 그럴 것 같았는데
　우리 입주민이 더 품어 지낼 수 없다면 아예 떠나라 어디든 우리
는 필요 없어질 곳으로

　이상 입주자 대표 토순 외 32인형

교차 시야

거기 서 보세요.
아뇨, 저는 찍지 않으려고요.

오래된 믿음을 딛고 있었습니다
찰칵이는 소리
둥글게 모이는 조리개에 둥글게 신발을 내려놓으면
빛 닿는 만큼 모자이크가 되어 세모 네모 조각조각
그날, 그곳
그때의 나가 가벼이 사라진다는

교차로에 집을 세워 새 신발은 꼭꼭 숨기고
눈은 멀리 발은 로터리를 빙글빙글
돌기만 하며 렌즈를 피해 다녔습니다

제멋대로 찾아오는 손님들이 있었는데요
심술이 찰칵이는 소리
손가락에 살짝 힘주어 누르면
신발끈이며 천들은 싹둑싹둑 쪼가리가 되었습니다
덜걱이는 신발들 누군들 얼마큼 가벼워져 떠날 수 있겠어

어디로 가겠냐며 깔깔대는 웃음이 무색하게

세모 네모 조각조각들 모자이크를 붙이고
가볍게 발을 떼었습니다
눈이라도 마주쳐 조각이 될까 고개를 푹 숙였는데
낮에도 밤에도 그림자는 발아래에

거기 서 보세요
네, 조금만 덜어주세요.
둥글게 펼쳐지는 조리개에 둥글게 신발을 내려놓으면
시선을 재단해 무겁게 붙이는 법을 알게 될까요
어느새 신발 밑창 오래된 미신을 얼룩덜룩 짓밟고
굳게도 늘어난 무게로
발을 뗍니다

이

엘

　얼마 전 아버지와 긴 이별을 했습니다. 이별은 세상의 순리 안에 일어나는 여러 가지 일중 한 가지 일뿐이지만 이별은 겸손과 가장 닮아 있는 듯도 합니다. 아버지의 자리를 내가 아들이 손주가 이어 가듯 끊임없이 우리들의 이야기는 이어질 거라 생각합니다.

돛 덫 닻

아부지호가 항구에 닻을 내리려 하고 있어

할머니의 뱃속에서 부터
아부지호는 슬슬 항해를 시작하셨겠지

돛에 희망이라는 깃발이 나부껴겠지

순풍을 만나 슬슬 잘 나가던 날도 있었을거야

사방이 덫은 아니 였겠지.

행복도 기쁨도 슬픔도
모두 만났을 거야

8남매가
아부지호에게는
덫이었을까
돛이었을까
닻이었을까.

자꾸 눈물이 나

선장은
닻을 꺼내려
느리게 느리게 갑판으로 나가시고 계셔

그 한걸음 한걸음이
위태로워

그리곤

어렵게
닻을 내리셨지.
2023년
11월 20일 밤이었어
자정을 막 넘긴 후였어.

배 띄운지
91년 하고 10개월만이었어

표리부동

울아부지 돌아가셨다고
사방팔방 부고를 띠우고
검은옷 하얀리본
곱게 치장하고

너도 나도 내손님 네손님
번갈아 맞이하니
영정 속에 울아부지
어지럽다 하실까.
내새끼와 좋은 인연 고맙다 하실까.

자정 되어
아부지 자식들만 남으니
큰언니 시집간지 45년 만에
한방에 모두 눕는다.

가로눕고 외로 눕고
영정 속에 아부지는
지켜보실까.
큰조카 돌잔치 때처럼

같이 옆에 누우셨을까.
옛이야기 나누며
키득키득 큭큭큭

아부지와의 이별이
아이였던 우리와 강제로 헤어져야 한다는 걸
그 밤에는 몰랐었다.

등산과 삶의 공통점

배낭을 메고 산을 오르듯
삶도 짊어져야 할 짐이 있더라.
무거운 배낭 가뿐한 배낭

멀리 가기 위해서는
많은 준비 필요하더라.

단숨에 정상까지 오르지 못하듯
한번에 목표달성 있을 수 없고
한 발 한 발이 정상에 이르게 하듯
하나씩 하나씩 살아내야하더라.

오르다 고개를 들어 앞길을 살펴야
산길 잃지 않듯
삶도 그리해야 초심을 잃지 않더라.
오르다 올라온 길 뒤돌아 봐야함은
뒤처진 산우를 기다려주기 위해서고
잘 될수록 가난한 이웃 살펴야 함은
더불어 삶이기 때문이고

정상에 올라 가져 온 도시락 펼쳐 놓고 함께 함은

다양한 반찬

다양한 인생

따뜻한 격려 나누기 위함이 아니던가.

하산길 더 조심조심 해야함은

노년의 삶이 추해질수 있기 때문일게다.

불 탄 금강송

한반도 등줄기에서 태어나
동해의 붉은 해로 첫배를 채우고
말간 해풍으로
의젓함의 몸을 씻으니
세상에 너만한 무리가 없구나.

황금으로도 채울 수 없는
왕조의 자존심을
너만이 지켰지만

세상사   흥망성쇠

독야청청 절개도
교언영색 단풍과 어울려야하고
백자에 올려앉은 송이의 고결함도
함지에 버무려진 도토리묵이 있어 고귀하더라.

동해의 바람으로 송진을 만들어 채울 때
옆지기 갈참나무 단풍나무
태백의 물로 싱싱한 아름드리되었거늘

송이 따다 황금 거위 만든다고 잘라내고 베어내니
참혹함이 배가 되고 말았구나.

죽고 사는 것이
너만의 일이 아니거늘
일렁이는 불꽃파도에
꺾이었을
고통의 요절이 애닯구나.

친구의 꿈

친구야,

어젯밤 꿈이야기를 들었어.

깊고 푸른 바다꿈.
넓고 검은 바다꿈
바다 갈매기들이
매일밤 옮겨 놓는다는 수평선.

수평선 밑에서 끌어 올린
수백개의 택배박스
수천장의 주문서
수억개의 말간 접시는
바다 갈매기들의 날개에 실어
너의 범고래에 먹이가 되었다지.

검은 바다
수평선이 심하게 넘실댐은
너를 기다리던
범고래의 먹이 시간.

이제,

너를 따라 온 범고래의

포효를 따라 갈 차례야.

호박

스물 다섯
스물 여덟
참기름에 볶지 않아도
아삭 아삭 달달한 애호박

마흔 다섯
마흔 여덟
들기름 달달 넣어 볶다
참기름까지 휘리릭 지나가야
겨우 호박맛 내는 중호박

예순 다섯
예순 여덟
부석부석 부어오른 붓기도 달래주고
곱게 갈아 죽으로 끓여내면
달아난 입맛도 돌아오게 하는 약호박 늙은 호박.

꽃길

꽃보다 이쁜 손주와 꽃길을 걷습니다.

망초꽃
망초꽃
패랭이 꽃
패랭이 꽃
달맞이 꽃
달맞이 꽃
토끼풀
토끼풀
용담꽃
용담꽃
할미가 먼저 말하고
혀 짧은 목소리가   따라합니다.

어! 이 길에는 꽃이 없네
괜찮어
조금만 더 가면
또 꽃길이 나온단다.

나비도 천천히 같이 납니다.

내 다 안다.

내 다 안다
무얼 먹고 컸는지
무얼 보고 컸는지

정
희
진

한달동안 시를 배우고 쓰면서 느꼈던 점은 제 자신이 어린아이처럼 동심의 세계에 잠시나마 여행한 기분이었습니다.

앞으로 많이 읽고 시를 쓰면서 숙련된 시인으로 성장하겠습니다.

버스 안에서

무엇을 써야하나
한참 고민중.....

짧은 글을 쓸까?
장문을 쓸까?

머릿속엔
복잡한 생각들만

집에서는
한숨만

거리에선
잡 생각들만....

버스안에선
여러 글들이
잘 정리가 된다.

비록 승용차보다는
불편하지만....

버스 안에서
거리 풍경을 보거나
여러 사람들을 보면

버스 안은
내가 글을 쓰는데
또 생각을 하는데
친구 같은 곳이다.

계란 후라이

아침에 일어나면
제일 먼저 해 먹는
계란 후라이

매일 매일
만나는
계란 후라이

아침마다 먹는 음식
왠지 친구같은 느낌

안 만나면
섭섭한 느낌
연인 같기도

지글지글
후라이팬에
데펴지면

정말 맛있는
음식이 완성된다

나는 깨닫는다
계란 후라이는
매일 먹고 만나야 할

나의 한 부분이라는것을....

나의 3월

나는 노란색 꽃을 보고 웃지
봄이 오는 소리인 것을

모든 것이 새롭게 시작하는 봄
내 계획도 무난힐까?

왠지 파도같은 마음
설렘과 나의 불확실한 미래

나의 머리를 스치는 봄바람
흰색과 검은색이 보이는 창문

학생들은 신학기를 맞이하듯
나도 새로운 것을 받아들인다

기쁨, 슬픔, 행복, 아쉬움
미래를 예측해본다

내 마음은 요동치는 따듯한 햇살
3월은 그렇게 흘러갔다

공원

누구나 산책하는 곳
강아지도 놀수있는 곳

꽃도 볼 수 있는 곳
맑은 공기를 마실 수 있는 곳

공원은 사랑받는 안식처처럼
편안한 거실같은 곳이다

여름

봄 다음
여름

맛있는 수박, 참외는
사람들의 사랑을 받고

찜통 더위 아래
바다에서, 파도에서
놀 수 있는 날씨

짠내나는 땀방울
짜증나는 햇살들

여름은 비를 피할 수 없는
어린아이처럼
받아들이는 계절

조
영
은

　서울 신길동을 헤메던 어느 날이 생각납니다. 낯선 길을 휴대폰의 지도를 보며 따라 걷고 있었지만 길을 잘못 들어섰지요. 그러나 잘못 들어선 그 골목에서 저는 세계의 아름다움을 보았습니다. 햇살이 조각조각 부서져서 눈 앞에 떨어져 내렸고, 노을과 같은 단풍 잎들이 높은 곳에서 은은하게 흔들리며 그늘을 만들어 냈습니다. 좁고 고요했던, 그리고 눈이 부셨던 그 골목은 그 이후로도 마음에 남아 불현듯 떠오르곤 했습니다.

　저의 세계를 표현하기 위해 골똘히 고민하며 시를 다듬었습니다. 이 시를 읽으면서 여러분도 작지만 아름다운 골목길을 우연히 발견하시길 바랍니다.

그날, 노을

오렌지빛 양 떼가 머리 위를 지나
집으로 돌아갈 때

같은 노을을 바라보고 있었을까
우리는

구도자처럼 광야에 서 있는 네게
오직 바람 소리만이 말을 걸었을까

같은 하늘 아래
타국의 풍경과 냄새와 언어가 바닷바람에 실려 온다

이곳은 추위 무척이나
기다리던 첫눈은 아직 오지 않았지만

손가락이 누르지 못한
메시지가
텔레파시처럼 너의 머릿속에 울려 퍼졌을까

돌계단 위에서 낙엽이 서걱거린다

없는 나와 걷는 너의 발소리

하얗게 김이 서린 유리문에
얼어붙은 손가락이 낯선
너의 이름을 지우고

얼음땡

다 자란 키에 미치지 못하는 그림자는
네가 숨겨온 비밀

어른들과 같이 앉아 있을 때
너는 껌을 씹었지
풍선을 부는 척하며 손가락으로 그림자를
길게 늘였지

입술 사이 피어오르는 연기
손끝과 입술은 더 까매지고
구두 속에서 뾰족해진 발은 아파하며 달 아래 휘청거렸다

아무도 없을 때면
점점 줄어드는 그림자

너의 그림자는
무수한 물방울이 투두둑 떨어질 때
머리를 흔드는 나무에게 다가가 말을 걸었고
고개를 갸우뚱하는
이름 모를 들꽃과 밤새도록
춤을 추었다

입꼬리를 올리는 순간에도
그림자는 입술을 삐죽 내밀었다

얼음땡 해주기를 기다리는 아이같아 너는
왜일까

너를 아끼던 사람이 물었어

소리없이 커진 눈동자

천진난만한 그림자가 대답했어

아직도 내가
자라지 않았다는 것을 알고 있었어요?

단풍길

붉어진 손이 가만히 떨리고
네 손이 툭 떨어지기 전에
잡고 싶을 때

불어오는 바람에 나의 손도 가냘프게 떨리고
검붉어지고
낡아지고
아름다워지고

부끄러워하는 수많은 손이
작아지며 떨어질 때
우리는 손을 잡고
걷고

부서지는 시간의 울림을 듣는 발들

빛바랜 너의 하얀 운동화가
노을빛을 닮아
점점 슬퍼지고

마드리드

낯선 이들의 속삭임이 가득한 이 밤거리에서 너는 나와 함께 걷고 있었어야 했어 우리의 영혼은 젖은 별빛 속에서 두 나무가 서로를 감싸 안듯이 춤을 추고 있었을 텐데 마치 그 곳이 신의 축복을 받은 성소인 것처럼 거추장스러운 비옷을 벗어 던지고 타인의 자전거를 훔쳐 달아나는 거야 빨간불 신호등에도 아랑곳하지 않고 페달을 밟으면서 자동차의 경적 소리가 멀어져간다 너는 내게 행복하냐고 물었지 기억해? 자전거를 타고 마드리드까지 달려갈 수 있을까

시계바늘의 분침과 초침이 빗물 속에서 소용돌이치며 거꾸로 돌아가고 밑단에 프릴이 달린 검은 드레스를 입은 집시 여인이 플라멩코 춤을 춘다 흥겨운 기타 연주소리에 맞추어 바닥에 부딪치는 구두굽이 딱딱 울릴 때 그녀의 얼굴에 드리운 상실과 고뇌의 그림자. 관객석 구석에서 춤추는 여인을 올려다보는 모자 쓴 너의 그늘진 옆모습. 감탄하며 입을 가리고 있어 내 눈을 들여다보는 너의 깊은 눈동자. 그녀의 구두에 빨간색을 칠하면 그녀가 영원히 춤을 추게 할 수 있을까

멈추지 않는 박수소리가 공연장을 가득 채울 때 뭉크가 그린 [절규]처럼 무대 아래 관객들의 얼굴이 우스꽝스러운 모습으로 일그러져간다 그림 속으로 너와 나도 빨려 들어가고 기차 창밖으로 끝없이 펼쳐진 노란 황무지가 덜커덕 소리를 내며 현실로 돌아오고 있

어 실수로 엎지른 보라색 물감이 파도처럼 이 무심한 세계를 덮칠
때 네가 나의 이름을 불러준다면

다시 찾은 바벨탑

두 손을 더듬거리며 지하로 내려간다
손가락 끝에 맺힌
희미한 푸른빛을 따라

왼쪽 손목에 찍힌 도장이
짐승의 표를 연상시킨다고 생각할 때
너의 신발은 엎지른 맥주로 끈적이는
바닥에 달라붙었다가 간신히 떨어졌다

진토닉에 취한 그들이
해파리처럼 팔다리를 흐느적거린다
눈앞에서

거대한 음악이 귓가로 흘러오고
잊혀진 지혜를 말하는 현자처럼
옆사람 귀에 속삭였다

우리가
이곳에 온 것은 잃어버린 별을 찾아서야

한 발을 떼면 다른 발이 바닥에 들러붙는

이곳에서
네가 작고 하얀 불빛을 찾고 있었던 이유를
말해줄까

나무들이 고개 숙여 비밀을 속삭이는
유월의 숲에서
쏟아지는 별똥별을 찾아 우리는 달렸고
사천여년 전 수명을 다한 운석이
반딧불이 되어 흩어지는 꿈을 꾸었다고

언어가 흩어지는 소리가 들리고
사람들의 아우성 소리에
눈을 감았다가 뜨면
깜박이던 반딧불이 왜 사라졌을까

반딧불을 찾아
흡연 구역으로 갔다
낯선 언어가 연기로 피어오르는 광경을 보며
너는 고대의 바벨탑에 와 있다고
생각했다

지하가 아닌 지상 99층에
혼돈 대신 존재하는 평화

무너뜨리지 않는 바람이 불어오고
맴도는 하얀 빛들 속에

아와지 섬으로 1

낯선 해변에 서 있다

뒤집어진 낡은 보트는
숨소리조차 내지 않고
비석(碑石)를 잃어버린 무덤처럼 가만히 누워 있다

사람의 흔적이 닿지 않은 잡초를 헤치며
거친 호흡을 내뱉는
낡은 운동화

몰려드는 검은 모기를 피해
발자국 하나 없는 조용한 해변으로 나아간다

울음보다 큰 파도소리

주저앉은 그녀의 손에서 떨어진
손때 묻은 소설책

거대한 악어와 같은 먹구름이
불덩이를 삼킨 하늘 아래

글자들이 책에서 빠져 나온다
소리없이
붕 뜬 채로 구불거리며
선으로, 덩어리로, 형체를 이루며

짧은 머리카락이 꼬불거리며 움직이기 시작한다
선명해지는 눈, 코, 입
갈색 남방이 돛처럼 펄럭인다

해변에 우뚝 선 남자

혼자 서 있으면 어김없이 슬퍼지죠

너는
소설 속에서 걸어 나온 사람처럼 말한다

입을 가린 그녀는
두 눈을 크게 뜬 채 올려다본다

그래서...... 생각하던 사람은 만났고요?

고개를 가로젓는
긴 속눈썹이 떨린다

모래가 저벅대며 밟히는 소리
흐트러지는 긴 머리

먼 방파제에서 보이는
두 개의 점
나란히 움직이고

나지막한 목소리가 귓가를 울린다

저는 그 슬픔을 잘 기억합니다
눈에 보이지 않는 상처를
눈에 보이지 않는 곳에 가만히 남기고 가는

*'혼자 서 있으면 어김없이 슬퍼지죠'
[도시와 그 불확실한 벽]에 나오는 문장을 변형함
**'그래서…… 생각하던 사람은 만났고요?'
[도시와 그 불확실한 벽]에 나오는 등장인물의 대사를 인용함
***'저는 그 슬픔을 잘 기억합니다
눈에 보이지 않는 상처를 눈에 보이지 않는 곳에 가만히 남기고 가는'
[도시와 그 불확실한 벽]에 나오는 문장을 변형함

아와지 섬으로 2

두 사람이 돌아왔을 때
온전한 어둠이 내렸다

나뭇가지를 쌓아 능숙히 모닥불을 피우고
매운 연기에 함께 콜록거린다

마디가 굵은 손으로 나뭇잎을 엮어 관(冠)을 만들고
둥근 무릎을 감싸고 앉은
머리에 씌워주는 사람
그녀를 응시하는 눈동자는
별빛을 닮아 반짝인다

제 마음에도 깊은 구멍이 뚫려 있어요
무엇으로도 채울 수 없는

가만히 듣던 그녀는 천천히 일어나
해변으로 뛰어간다

파도의 비명소리에 귀기울이다가
성인식을 치르는 인디언처럼
춤추며 모닥불 주위를 돈다

치마 자락은 부서지는 검은 파도
두 팔은 가지처럼 뻗어나가고
다리는 무아지경이 되어

달빛 아래 따라 일어서고
불빛에 너울대는 두 사람의 실루엣

타닥타닥—
후— 후—

다가온 바람이 입김을 불고
파도 소리에 묻히는 희미한 웃음소리

우리,
모닥불이 꺼지면 같이 죽을까요?

*'제 마음에도 깊은 구멍이 뚫려 있어요 무엇으로도 채울 수 없는'
[도시와 그 불확실한 벽]에 나오는 등장인물의 대사를 변형함
**'모닥불이 꺼지면 같이 죽을까요'
[신의 아이들은 모두 춤춘다]에 실린 단편 소설 중 '다리미가 있는 풍경'에
나오는 등장인물의 대사를 변형함

라벤더 꽃

심장에서 빠져나온
여러 개의 손에서
미끄러운 것이
뚝뚝 떨어진다

아스팔트길을
아무리 지워도 닦이지 않아
붉은 얼룩

기차 창밖으로
물을 댄 논과 돌다리 밑을 빠져나가는 강
초록 숲과 하늘을 닮아가는 산

보드라운 황토빛 흙에서는
보이지 않는 씨앗에서 자란
열매가 주렁주렁 맺히겠지
네가 돌아오지 않을 계절에

어디에도 없다
유월의 풍경 속에
두 사람의 모습은

손들이 문을 닫기 시작한다

붉은 액체를 뚝뚝 떨어뜨리며
문 하나
문 두 개
문 세 개
철컥, 그리고

기차는 영원히 달리고 있지

이름없는 역에는
라벤더 꽃이 흐드러지게 피어있고
얼굴이 창백한 사람들이 홀로 내리겠지
한 손에 가방을 들고

모래 위에 새긴 서약이 씻겨가고
파도 소리가 다시는 들리지 않을 것이다

라벤더 꽃은
다시
피어나고

행방불명

창백한 얼굴을 내민
달은
대지를 순식간에 바꾸었다

저수지에 뜬 섬은
거대한 미확인 비행물체

쫓아오는 미확인 비행물체를 피해
달아난다

멀리 보이는 산은
녹아내린 아이스크림
초록빛이 흘러내리고
끈적이는 새카만 물체로 변해 위협한다

흙묻은 운동화가
어둠이 내린 논두렁에 닿자
낯선 땅에 발을 들인 여행자에게
개구리들이 일제히 경고를 보낸다

울음소리를 손으로 밀치며

다시 달아나는 발

눈썹을 치켜 뜬 달이 따라 온다

식은땀이 흐르고
등에 멘 가방이 덜컹거린다

바람을 집어삼키며 숨을 들이킨다

폐가 위 전깃줄에
별 하나가 꼼짝없이 걸려 있고
안내판만 간신히 붙어있는
버스 정류장이 짧은 신음을 내뱉는다

날개가 큰 나방이 얼굴에 날아든다

오른쪽 어둠을 애타게 응시하는 얼굴에 비치는
헤드라이트 불빛
열린 앞문의 손잡이를 붙잡는다
쫓기는 사슴처럼

버스는 달의 세계를 유유히 빠져나가고

창밖으로 보이는

폐가 뒷산에서

번쩍번쩍 불을 내는 푸른 도깨비불을

언뜻 본 듯하다

La mar(라 마르)

내가 나여도 된다는 것을 누군가가 말해주지 않아서 누가 말해줄 때까지 그림자를 붙잡으러 나를 찾으며 지치도록 돌아다니고 여자의 가식적인 가면이 말을 걸고 미소를 지을 때 그 속에 숨겨진 일그러진 얼굴을 이미 본 것과 같을 때 파도 소리가 들려오면서 가본 적 없는 해변에 당도하여 인어의 노래를 듣는데 인어는 보이지 않고 너를 기다리지만 너는 내가 어디에 와 있는지 아는 걸까 모래성이 허물어지는 걸 두려워하면서도 공상의 해변에 잠시 머물다 가면 찬바람이 불어오는 런던의 겨울이 나를 기다리고 있었지 오후 네시면 해가 지는 그 길의 끝에 네가 있다고 생각한 소녀가 있었어 우리는 모래성을 쌓아올리고 있었지 시계바늘이 마구 돌아가고 있다는 것을 내가 어디에 있는지 나만 알 수 있지 하지만 양 두 마리가 방긋 그림같은 미소를 지으며 기다리는 조그맣고 초라한 방 침대를 그리워하면서도 정처없이 타국을 걷고 있는 이유는 무엇일까 우리의 시간이 엇갈리기만 할 때 바닷바람만이 너와 나를 막는 유일한 방해물이라고 새들이 한 말을 그대로 믿어도 되는 것일까

바닷가에서 갈매기가 뒤뚱뒤뚱 걷고 카메라에 담기에 여념이 없는 내가 비바람이 몰아치는 해변에 다만 홀로 남아 옷에서 빗물이 흘러내리고 뒤집히는 삼단 우산을 휘청거리는 손으로 붙잡을 때 너도 바닷가에 홀로 앉아 나를 생각했던 때가 있기를 바랐던 것을 네게 말하지 않고 하늘에서 나를 굽어보는 별 하나와 눈빛을 마주했

을 때 다만 뒤뜰에 내려앉는 달처럼 그 곳에서 그녀의 영혼을 만나기를 바랐던 나는 바람 속에서도 파도 속에서도 그녀의 목소리를 듣지 못한 채 떠나야 했지만 어느 가을날 지저귀는 새들을 통해 들려준 목소리를 영원히 잊지 못하고 끝없이 그녀에게 말을 거는 나는 수신인에게 당도하지 못한 채 비밀스러운 두루마리 편지를 담고 바다를 유랑하는 유리병처럼 어쩌면 우리가 고대에 만났었기를 그 때에도 나는 노래하는 음유시인이었거나 무희였고 그녀는 리라를 연주하는 아름다운 손가락을 타고났을 것이라는 사실을 믿어 의심치 않았지만 그곳이 무덤이 아니라 어느 요정들이 숨어 사는 숲속으로 그녀가 초록 맨발로 걷는 안전하고 조용한 숲속이었기를 바라는 마음으로 그녀가 없는 꿈속으로

희

주

    찰나를 기록하는 일인 시 쓰기는 어렵고도 매혹적인 작업이었습니다. 나의 그리움, 두근대는 벅찬 가슴, 먹먹하고 아쉬운 마음을 놓치지 않고 세밀하게 표현하기 위해 언어를 고르고 또 골라야만 했습니다. 이건 너무 진부해, 아니, 이건 원 의미와 멀어지게 돼, 이건 진실하지 않아. 끊임없이 나와 대화하며 고치고 다듬으며 지나쳐버렸던 것들을 다시 보았습니다.

    그러다 보니 바람도 하늘도 노을도 다시 보이고 새롭게 느껴지더군요. 세상을 아름답게 만드는, 돈 안 들지만 효과적인 방법이 시 쓰기임을 알았습니다. 시와 함께 보낸 마법 같은 시간들, 그리고 앞으로도 이어질 나날들이 기대가 됩니다. 그 즐거움 함께 나눌 수 있는 여름이 되었으면 좋겠습니다.

숨 1

밤이고 낮이고
뿌연 질병을 연기처럼 내뿜는 사내가 있었다
사내의 몸에는 취한 사람의 냄새가 자주 났다

작았던 여자는 사내의 뺨에 볼을 부빈 적도 있었으나
사내가 질병 그 자체가 되었을 무렵엔
그가 만진 수저와 수건을 무서워하며
사내의 그림자를 수없이 난도질할 뿐이었다

소리 없는 살인의 밤이 무럭무럭 지나가고
여자는 배를 타고 기어코 섬을 떠났다

당신과는 보란 듯이 다른 숨을 쉴 거예요

눈 먼 배는 얼룩진 바다를 거칠게 닦아내며
표표히 나아갔다
물보라가 일 때마다 앙다문 입술 같은
수문을 차례차례 굳게 닫으면서.

숨 2

몇 해가 지나가고
새로운 여자의 도시에는 천둥 같은 벌이 내렸다

각자의 질병은 각자의 몫이라며
강철로 된 마스크로 얼굴을 덮고
입 댄 수저와 손 댄 수건을 화형시키며
서로의 숨을 죽음처럼 무서워하였다

여자는 이십 일을 생쥐처럼 굶었다

- 덫에 빠진 것 같아 우리 모두
- 어제는 흰 옷 입은 구원자가 옆집에 다녀갔어
- 그를 제일 조심해야 해. 필경 가장 많은 균을 가졌을 테니

불신을 손톱처럼 뜯어 먹으며 배를 곯은 여자는
문득
저가 뱉은 숨을 무한히 되마시는 것도
서서히
죽어가는 한 방법이라며
출구 없는 사각의 섬 위에 모로 누웠다.

숨 3

코와 입을 잃은 귀에
붉은 사이렌 소리가 자장가로 울리던
어느 밤 사이

쿵쿵쿵

두꺼운 벽을 망치로 두드리는 소리가 났다

꼬리를 말아 잔뜩 웅크린 여자가
간신히 눈을 열자
부서진 돌 틈새로 작아질 대로 작아진
어느덧 노인이 다 된 사내가 나타났다

고목나무 껍질 같은 손으로
오래 주무른 흙과 같이
사내를 닮은 된장을 내려 놓으며

무 넣고 파 넣고 끓여야 맛있다

한 개비의 머쓱함을 잠시간 불로 태운 사내는
아버지 간다

재를 털 듯 일어나
탈탈탈
고물 트럭의 시동 소리 너머로 멀어져 갔다

삼엄한 경계의 숲, 병균 자욱한 흑암의 길을
사내가 어떻게 뚫고 갔는지
여자는 도저히 알지 못했다

다만 자욱하게 남은 소리에 귀를 기울일 뿐

그 끝이 설령 필사(必死)의 고통일지라도
언제고 너와 같은 숨을 쉴 거라는
뜨겁고 뿌연 고백을.

달팽이

처음부터 달팽이도 아프진 않았을 거야
정신을 차려보니
제 몸보다도 더 육중하고
혹 같기도 한 거추장스러움이
매달려 있었겠지
때로는 원망의 또아리에
숨어 들었을지도 몰라

그러나
밤새 이슬이 내리고
새로운 더듬이로 새 눈을 열면
그도 곧 알게 될 테야

저만이 가진 원형의 홀
새벽의 나팔이 되어
세상을 밝힐 노래로 울려 퍼지리란 걸

추억

폼페이의 화산재 속에는
건물도 사람도
시간도 굳어 있었을 것이다

나의 옛 공간도 여기,
잿빛으로 멈춰서 있다

그 위에 새로 돋은 타인의 가지들은
벌써 잎이 무성하고

고요히 잠들어 있는 우리의 노래는
나만 아는 소리이다

이름을 부르면 차마 가루로 앉을까

떨리는 입김이 닿는 순간

함께 추실래요?

뜻밖에 느린 음악이 흐르고
다정히 손을 내미는

속눈썹이 긴 인형

왈칵 하늘이 높다
눈,
올 것 같다.

달밤에 걷기

우주의 숨도 내 호흡만큼 젖어 있다
나무들은 둥둥 떠다닌다

손바닥 위로 비밀을 불러 본다
번쩍 텀블링하고
와와 소리친다

흘러오는 빛에 입을 벌려 본다
한 번쯤 내게도 쏟아지기를

이토록 굴러가는 나
통통 튀어가는 것들

들이쉬고 내쉬는 마디마디
팡팡팡 숨꽃망울 터뜨리며
이 밤의 걷기는 계속된다

별

우리는 모두 고장 난 별처럼 만나
어둠 속을 더듬으며 서로 응시하곤 한다
점점이 멸하는 그대 신호 가여워
반짝, 한 웅큼의 울음을 또 토하면서